MÊME LES MARTIENS ONT DES FRINGALES

MÊME LES MARTIENS ONT DES FRINGALES

Matthew McElligott

Texte français de Marie-Andrée Clermont

Éditions SCHOLASTIC

À Christy, à Anthony, à maman, à papa et à Gingie « Knuckles » Nice

Catalogage avant publication de Bibliothèque et Archives Canada

McElligott, Matthew
Même les martiens ont des fringales / Matthew McElligott ; texte
français de Marie-Andrée Clermont.

Traduction de: Even aliens need snacks.
ISBN 978-1-4431-2050-0

I. Clermont, Marie-Andrée II. Titre.

PZ23.M326Mee 2012   j813'.54   C2012-902567-4

Édition publiée par les Éditions Scholastic,
604, rue King Ouest, Toronto (Ontario) M5V 1E1,
avec la permission de Walker Books Ltd.

5 4 3 2 1   Imprimé au Canada   119   12 13 14 15 16

Les illustrations ont été créées à l'encre, au crayon et à l'aide de techniques numériques.
Le texte a été composé avec la police de caractères Aunt Mildred.
Conception graphique de Nicole Gastonguay.

MIXTE
Papier issu de
sources responsables
FSC® C103113

10%

Ma maman est un excellent cordon-bleu.
Elle me permet toujours de l'aider dans
la cuisine.

Elle me laisse même inventer mes propres recettes.
Aujourd'hui, j'ai concocté une boisson fouettée à
l'aubergine, à la moutarde et à la limonade. Un délice.

Ma sœur trouve ça dégoûtant.

Elle dit que jamais personne au monde
ne voudra manger les mets que je cuisine.

Elle dit que jamais personne dans tout l'univers
ne voudra manger les mets que je cuisine.

On verra bien...

Grrrrrrrrr.

Je savais bien que mon idée était bonne!
Je me suis simplement trompé dans
mes heures d'ouverture.
Je rentre dans la maison et je m'habille
à toute vitesse.

Mon premier client n'est pas d'ici.
Mon thé glacé aux champignons
lui plaît vraiment. Je pense même
qu'il essaie de me le payer.

La nouvelle se répand comme
une traînée de poudre.

Au fur et à mesure que l'été avance,
j'apprends que chaque client a son plat préféré.

Il y en a qui aiment mes trous
de beigne au fromage suisse.

D'autres raffolent de mon gâteau
renversé aux rutabagas.

Certains préfèrent le gâteau éponge
aux poireaux,

et les profiteroles aux haricots sont follement appréciées des gars qui viennent des planètes gazeuses.

Même ma soupe au dentifrice
obtient un franc succès.

Mais l'école commence la semaine prochaine.
Le temps est venu de fermer boutique.
Pour ma dernière nuit de travail, je décide d'essayer
une recette spéciale : un dessert fabriqué à partir
de *tous* mes ingrédients *préférés sans exception*.

Je vais l'appeler *pouding galactique*. Ce sera mon chef-d'œuvre.

J'ouvre plus tôt que d'habitude.
Mes clients font déjà la queue.

Ils ont tellement hâte de goûter
mon fameux pouding...

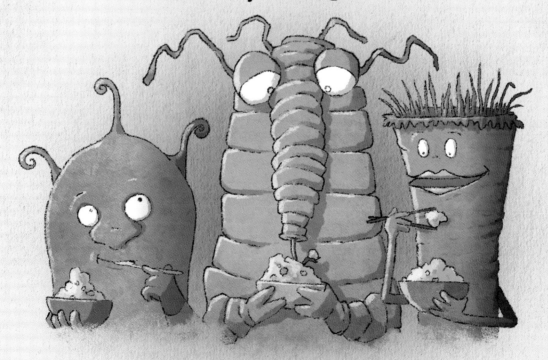

et moi, j'ai tellement hâte de savoir
ce qu'ils vont en penser.

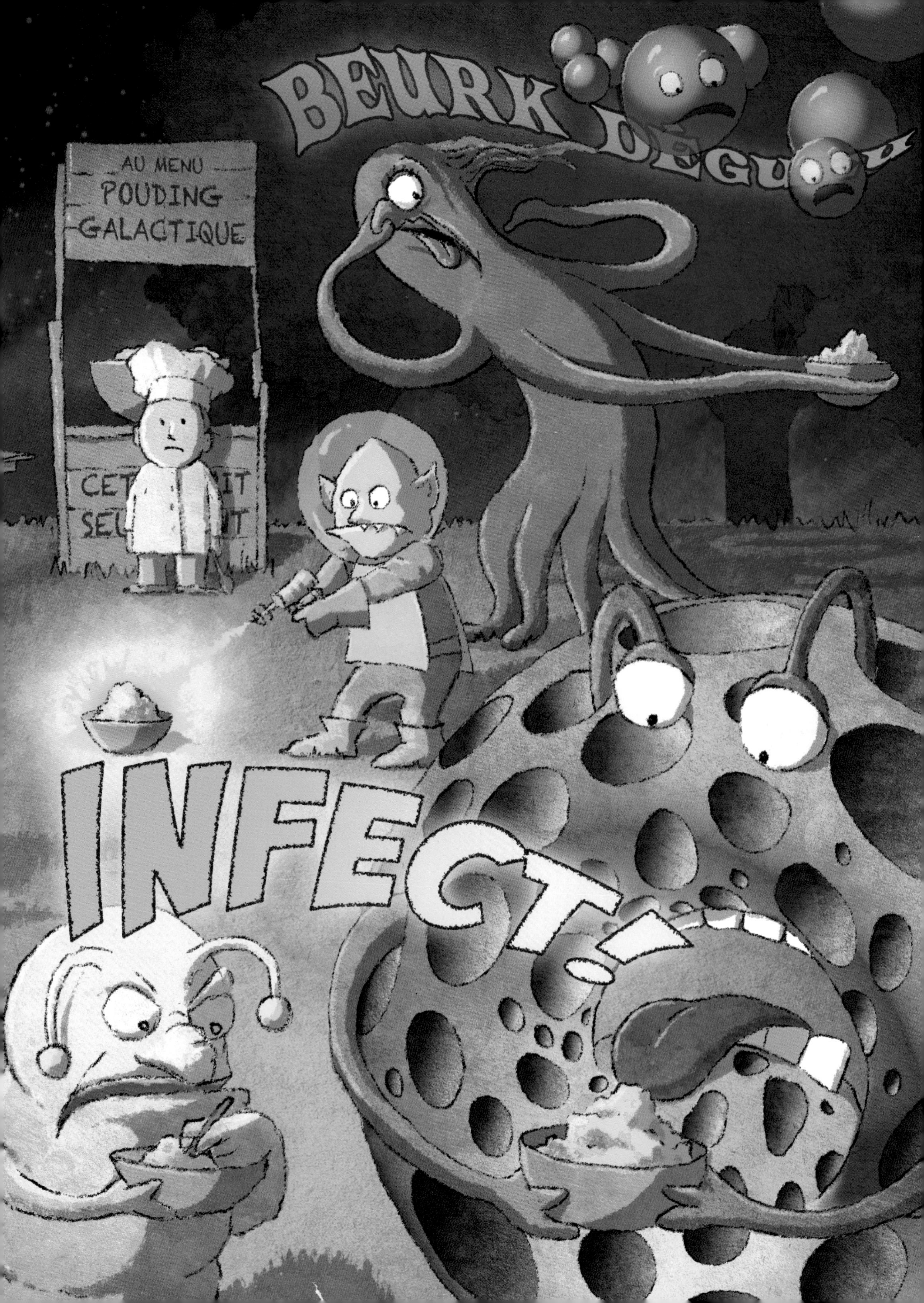
BEURK DÉGUEU
AU MENU
POUDING
GALACTIQUE
INFECT!

Eh bien, moi, j'ai aimé ça.

Il faut croire que ma sœur avait raison.

Il y a bel et bien des choses...

que personne d'autre dans tout
l'univers ne voudra manger.